雪女の家
おけら山
ちくちく森
ひりひり滝
おおかみ男の家
ぬるぬる池
かたかな橋
にこにこ
ぷんぷん
めそめそ
の花畑
ぞくぞく劇場
美術館
ぞくぞく小学校

ぞくぞく村の

怪鳥《かいちょう》ホヤホヤ

末吉暁子・作　垂石眞子・絵

知《し》っていますか?
トリドリのひなの、
ホヤホヤ。

何年《なんねん》か前《まえ》、とうめい人間《にんげん》のサムガリーさんが、
ぼうけんの旅《たび》をしたときに、ほらあなの向《む》こうの
世界《せかい》からついてきてしまった鳥《とり》のひなです。

サムガリーさんのことを
パパだと思《おも》いこんで、
「パー！　パー！」と
鳴《な》きながら、あとをついて
まわっていました。

そんなホヤホヤも、今《いま》では、
言葉《ことば》も話《はな》せるようになり、
サムガリーさんの
ブティック
「びっくり箱《ばこ》」で、
ご用聞《ようき》きや配達《はいたつ》の
おてつだいをしています。

あいかわらず、首《くび》には十二この、ダイアモンドのネックレスをしています。

これこそ、サムガリーさんたちがぼうけんの旅《たび》でゲットしてきた宝物《たからもの》「フンジバットの秘宝《ひほう》」なのです。

ある日《ひ》のことです。

「おうい、ホヤホヤ！　これをミイラのラムさんのところへ、届《とど》けておくれ。」

サムガリーさんが、白《しろ》いおびをわたして言《い》いました。

「パ～イ！　あれ？　ラムさんの新《あたら》しいほうたい？　それにしては短《みじか》いパー。」

「いいから、いそいだ、いそいだ。」

「パ～イ！」

ホヤホヤは、ほうたいをくわえると、バッサバッサと飛《と》びたちました。

ひそひそ川《がわ》をこえると、もうそこは、ラムさんのお店《みせ》、
こっとう品屋《ひんや》さんです。

「パー！　ブティック『びっくり箱《ばこ》』からお届《とど》けホヤーイ！」

すると、お店《みせ》のおくから、ラムさんとおくさんの
マミさんが出《で》てきました。

「おお、新《あたら》しいほうたいが届《とど》いたよ。」

「よかったわね。ほら、ラムダ。新《あたら》しいほうたいよ。」

「パー？　ラムダ？」

「フニャ〜！」

見《み》れば、マミさんの足《あし》もとには、ペットの
黒《くろ》ねこミイラが、まとわりついていました。

「パー。ペット用《よう》のほうたい
だったんだホヤ。」
「そうなんだよ。この子《こ》のほうたいも、
たまにはとりかえてあげないとね。」
ほうたいをとりかえてもらって、白《しろ》ねこ
ミイラになったラムダは、大《おお》よろこび。

「フニャ〜ン！　ゴロゴロゴロン。」

と、地面《じめん》にすりすり、ごろんごろん。

あっというまに、どろんこ色《いろ》になりました。

「あらあら！　だめじゃないの。」

「ほうたい、もう一本《ぽん》！」

「すぐ、もってきてー。」

「パ〜！　まいど、あり〜！」

ホヤホヤが、ゆーらりゆらりとはばたきながら、サムガリーさんのお店《みせ》にもどろうとしたときです。

「ワオオーン！　ワオオーン！　ホヤホヤちゃーん！」

どこかでホヤホヤを呼《よ》ぶ声《こえ》がします。

「ホヤ？　ぼくを呼《よ》ぶのはだれだろう？」

見《み》れば、ちくちく森《もり》のいちばん高《たか》い木《き》のてっぺんで、ちぎれるように手《て》をふっているのは、おおかみ男《おとこ》ではありませんか。

「パ〜！　そうか。今夜《こんや》は満月《まんげつ》だった。歯医者《はいしゃ》のチクチク先生《せんせい》、おおかみ男《おとこ》に変身《へんしん》したんだホヤ。」

なにしろ、チクチク先生《せんせい》は、おおかみ男《おとこ》に変身《へんしん》すると、やたら気《き》が大《おお》きくなってしまうのです。

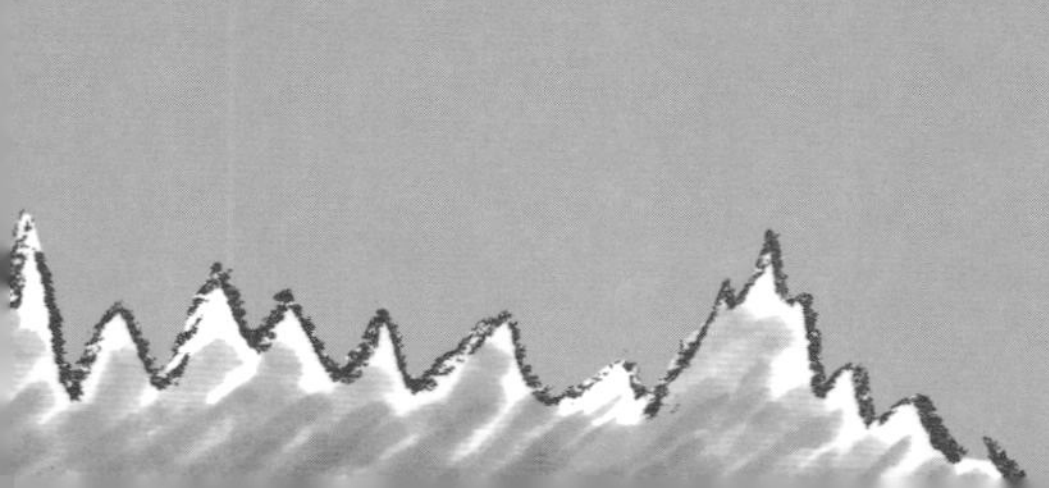

「パ～！　だいじょうぶ？
そんなところにのぼって。」
ホヤホヤが近《ちか》づいていくと、
おおかみ男《おとこ》は、うでを
ふりまわして言《い》いました。
「ワオオオ、オ～ン！
満月《まんげつ》がおれをよんでるぜ。
おっぽが波《なみ》だつ。血《ち》がさわぐ。
ホヤホヤちゃん、きみの
つばさに乗《の》せてってチョー！」
おおかみ男《おとこ》は、ホヤホヤの尾羽《おばね》を

ひっつかんではなしません。
「パー！　はなして！
ぼくは配達《はいたつ》のお仕事《しごと》があるんでホヤ！」
「なに、配達《はいたつ》？
ほんじゃ、おれさまも注文《ちゅうもん》するぞ！
げきからフガフガ・ピザを百五十枚《まい》、
すぐ、ここへもってこい！」
「んもう！　うちは、
ピザ屋《や》じゃないパー！　プンプン！」
やっとのことで、おおかみ男《おとこ》をふりきって、
ホヤホヤは、まいもどっていきました。

すると、びしょびしょ丘《おか》の上空《じょうくう》から、なにかが、猛《もう》スピードでジグザグに走《はし》ってくるのが見《み》えました。

「ホヤ？　あれは……。」

雨《あめ》ぼうずピッチャンと、くもすけの乗《の》った雲《くも》のオープンカーです。

「ピヤピヤー。今日《きょう》は、どこににわか雨《あめ》をふらせてやろうかな。」

ピッチャンは、きょろきょろと下《した》ばかり見《み》ながら、わき見運転《みうんてん》。ゆく手《て》の空《そら》に、ホヤホヤを見《み》つけたくもすけが、

「あぶない！」

とさけんだときは、おそすぎました。

ピヤピヤ〜
どっか〜ん!
パヤパヤ〜

ホヤホヤの全身《ぜんしん》の
羽根《はね》がさかだったとたん、
首《くび》にかけたネックレスの糸《いと》が
ブチッ！

十二このダイアモンドが、
ぞくぞく村《むら》の上空《じょうくう》から、
きらきら光《ひか》りながら、
四方八方《しほうはっぽう》へ飛《と》びちりました。

ホヤホヤは全身《ぜんしん》の力《ちから》が
ぬけて、ホヤホヤ～っと、
地上《ちじょう》に落《お》ちていきました。

いっぽう、雲《くも》のオープンカーも、
バランバランのちぎれ雲《ぐも》になって
空《そら》をただよい……、

ピッチャンは、まっすぐに
ぬるぬる池《いけ》に、ドッポーン！

いち早《はや》く脱出《だっしゅつ》したくもすけは、
ちぎれ雲《ぐも》を、ひっしで
ひろいあつめています。

「これをまた、組《く》みたてるのは、
たいへんでやんすよ。ブツブツ。」
とか、なんとか言《い》いながら……。

そのころ。
ちびっこおばけのグーちゃん、スーちゃん、
ピーちゃんは、おうちの屋根《やね》の上《うえ》で、
でんぐりがえりしたり、
かべを通《とお》りぬけっこしたりして、
遊《あそ》んでいました。
するとキラッキラッキラッと
光《ひか》りながら、空《そら》からなにかが
落《お》ちてくるのが見《み》えました。
「グエッ！　今《いま》のなに？」
と、グーちゃん。

「流《なが》れ星《ほし》っス！」

と、スーちゃん。

「ピ〜！　それも三つも
いっぺんに！」

と、ピーちゃん。

「グワ！　もじゃもじゃ原《はら》っぱに落《お》ちてったよ。」

「うわい！　さがしにいくっス！」

「さがしだして、ねがいごとかなえてもらうッピ！」

ちびっこおばけたちは、ピュイピュイピュイピューイと、もじゃもじゃ原《はら》っぱへおりていって、お星《ほし》さまをさがしはじめました。


「グオー！

見《み》っけ！」

「あたしも
見《み》つけたっス！」

「ピー！
こんなところにも
あったわ！」

それぞれ、一つずつダイアモンドを
ひろって、にっこり！

さて、ぬるぬる池《いけ》のほとりに落《お》ちてきた
ホヤホヤは、飛《と》びたつこともできません。
ホヤホヤは、あのダイアのネックレスを
していないと、力《ちから》がわいてこないのです。
「たいへんだパ～！　あれがないと、
ぼく、もう、空《そら》を飛《と》べなくなっちゃうよ。
なんとかして、とりもどさなくちゃホヤ。」
でも、ぞくぞく村中《むらじゅう》にちらばったダイア
モンドを、いったいどうやって、さがしだ
したらいいのでしょう。

「パ〜ン！　ぼく、
このまま
死《し》んじゃうんだ。」

ホヤホヤが、池《いけ》の
ほとりにうずくまって、
パーパーないていたときです。
「ピヤピヤ……。しっぱいしっぱい。
ぼくのじまんのオープンカーが、
バランバランのちぎれ雲《ぐも》に
なっちゃったよ。」

ぼやきながら、雨《あめ》ぼうずピッチャンが、
池《いけ》の中《なか》からはいあがってきました。

「パ〜！　ピッチャ〜ン。」
ホヤホヤが声《こえ》を
ふりしぼってさけぶと、
「ピヤ！　そんなところで
待《ま》ちぶせしてたのか。
ヤバ！」

ホヤホヤが飛《と》べなくなっている
ことは知《し》らないピッチャン、
あわてて、池《いけ》にもぐりこみました。

ところが、妖精《ようせい》レロレロさんに首根《くびね》っこをつかまれて、またすぐ、うかびあがってきました。
「ピッチャンは、またなにか、いたずらをしたのね。」
車《くるま》がないので、にげるににげられず、ピッチャンはひらあやまり。
「ピヤ〜ン！　ごめんなちゃい。ホヤホヤくん。みんな、ぼくが悪《わる》いんです。なんでもしますから、ゆるしてちょうだい。」

「そんなら、早《はや》く、ぼくのネックレスの
ダイアをさがしてホヤ。」
言《い》いながら、ふと
レロレロさんの
方《ほう》を見《み》た
ホヤホヤは、
ドキッ！

レロレロさんの
ピンクのかみの毛《け》のあいだで、
なにかがキラッと光《ひか》ったのです。

ホヤホヤは、
よたよた、
フラフラ～っと歩《ある》いていって、
レロレロさんの長《なが》いかみの毛《け》を、
つつきはじめました。
「きゃあっ！　かつらがとれる～！」
レロレロさんは、あわててかみの毛《け》をおさえました。
すると、レロレロさんのかみの毛《け》のあいだから、
ピカーリ、キラリと光《ひか》って、あらわれでたのは、
フンジバットの秘宝《ひほう》のダイアモンドではありませんか。
「パー！　やっぱり、ぼくのネックレスのダイアだパー！」

「んまあ！　そうだったの。
じゃあ、あれも、ホヤホヤの
ネックレスだったんだわ。」
そう言《い》って、レロレロさんは、
池《いけ》の底《そこ》から、ゼリーを持《も》って出《で》
てきました。
ゼリーの中《なか》では、キラキラッ
と二つぶのダイアが、かがやい
ています。

「いつのまにか、
ぜにごけゼリーの中《なか》で、
光《ひか》っていたのよ。」
三つのダイアは、ホヤホヤの首《くび》のまわりをうれしそうにまわりだしました。
「パー！　レロレロさん、
ありがとう。」
三つのダイアを、糸《いと》に通《とお》してもらって首《くび》にかけたホヤホヤは、ちょっと元気《げんき》が出《で》てきました。

そこへ、くもすけが、ピッチャンをむかえにやってきました。

「くもすけ、おむかえに参上《さんじょう》！　やっと車《くるま》のかけらを集《あつ》めたでやんす。」

「ピヤー！　つぎはぎだらけの車《くるま》になっちゃった！」

「ぼろぼろなんで、もう、あんなスピードは出《で》ませんから、ご安心《あんしん》を！」

くもすけは、みんなにぺこぺこ頭《あたま》を下《さ》げて言《い》いました。

「ピヤ！　ぼくも空《そら》の上《うえ》から、のこりのダイアをさがすからね。」

「おねがいパー。」

ピッチャンとくもすけは、ぼろぼろのオープンカーに乗《の》って、カクンカクンと走《はし》っていきました。

「ようやく歩《ある》けるように
なったパー。
のこりのダイアモンドを
さがさなくちゃホヤ。」
ホヤホヤが、ヨタヨタと
歩《ある》きだしたときでした。
お花畑《はなばたけ》の方《ほう》から、

ほんわかほんわかと、
地面《じめん》の上《うえ》を、つかずはなれず
歩《ある》いてきたのは、
がいこつガチャさんです。
手《て》には、めそめその花《はな》を
一本《ぽん》にぎりしめ、夢見《ゆめみ》るように
うたっています。

♪

きみは　なぜに
そのように
かなしい　顔《かお》をして
なみだを　流《なが》す
わらっておくれ
うるわしの　花《はな》

めそめその花《はな》を見《み》たとたん、
ホヤホヤは、急《きゅう》に力《ちから》がわいてきて、
「パ〜！」
と、さけんでかけだしました。
なんと、めそめその花《はな》の中《なか》で、
なみだのしずくのように光《ひか》っているのは、
二つぶのダイアモンドだったではありませんか。
「これは、なみだのしずくじゃなくて、
ぼくのネックレスのダイアモンドだパー。」
二つぶのダイアは、ぴょーんと飛《と》びだして、
ホヤホヤの首《くび》のまわりでおどりはじめました。

とたんに、めそめその花《はな》は、
にっこりわらって、
にこにこの花《はな》に
なりました。

♪
おお!
ついに　わらって
くれたのね

うるわしの
きみの　笑《え》顔《がお》よ
ぼくは　かんげき！

ガチャさんは、そのまま、ガチャガチャとあともどり。
「パー！　よかった！　これで、ダイアは五こ、
もどってきたホヤ。」
ホヤホヤも、またちょっと元《げん》気《き》をとりもどしました。

ひそひそ川《がわ》のほとりでは、めずらしく魔女《まじょ》のオバタンが、使《つか》い魔《ま》たちとつりをしていました。

「さあ、今日《きょう》は、アカトラのたんじょう日《び》だからね。あたしがうでをふるって、魚料理《さかなりょうり》をごちそうしてやるよ。」

ねこのアカトラは、ゾゾ～！

以前《いぜん》、オバタンの手料理《てりょうり》を食《た》べたら、からいのなんのって。

体中《からだじゅう》の毛《け》がさかだち、べろがのこぎりみたいにギザギザになったまま、三日間《かかん》、もとにもどらなかったことがあるからです。

「そ、そんなぜいたくな！　ぼくなんか、カップラーメンでも、ごちそうしてもらえば、じゅうぶんニャ。」

ひやあせをかきながら言《い》ったのですが、オバタンは大《おお》はりきり。

あああ……
えんりょするこたないよ ほら、また、つれたぞ
さかなさま こちらへ どうぞ

そんなとき……
おや、ホヤホヤじゃないか。なんで空を飛ばないんだい？
ゼーゼー
てくてく

パー……じつはパーパーパー……
というわけで
あと七つ、ダイアモンドを
さがしてるの。
ほう

そりゃ たいへんだね。
でも あれは、フンジバットの
秘宝だからね。
おたがいに引き合う力が
あるんだよ。
きっとすぐみつかるよ。
そうそう、そうそうそう。
オバタンは えらい！
いつも 正しい！

でも、どうしても見つからなかったらおいで。うらないでさがしてあげるよ
ありがとう魔女のオバタンパ〜〜

ホヤホヤが歩《ある》きだすと、
空《そら》の上《うえ》から、声《こえ》がふってきました。
「ピヤピヤー！　おばけかぼちゃ畑《ばたけ》で、
なんか、ピカピカ光《ひか》っていたよー。」
「ホヤ？　雨《あめ》ぼうずのピッチャンだ！
ありがと。」
ホヤホヤは、ズルズルと、羽根《はね》を引《ひ》きずって、
とんとん橋《ばし》をわたっていきました。
橋《はし》の向《む》こうは、おばけかぼちゃ畑《ばたけ》です。

月《つき》の光《ひかり》をあびてニカニカ
わらう、ぶきみなおばけかぼ
ちゃの口《くち》が、あちこちで、
ピカー、ピカーッ！
すると、ホヤホヤの首《くび》にかけた、
ネックレスのダイアも、
ピカー、ピカーッ！
「パー！　ぼくのダイアモンドだ！」
ホヤホヤは、おばけかぼちゃ
畑《ばたけ》にわけいって、ダイアを三つ、
さがしだしました。

「これで八こも集《あつ》まった。
またまた、力《ちから》がわいてきたパー！」
ホヤホヤは、ためしに、つばさを
バサバサやりながら、飛《と》びあがって
みました。
「パ〜！　ちょっとなら飛《と》べる〜！」
のこるは、あと四こです。
「もじゃもじゃ原《はら》っぱがあやしいホヤ。」
ホヤホヤは、ぴょんこぴょんこ
飛《と》びながら、もじゃもじゃ原《はら》っぱの方《ほう》に
向《む》かいました。

ちびっこおばけたちは、ちょうどそのとき、ひろったダイアモンドを、それぞれ一こずつ、うえきばちに、うめたところでした。

♪ はーやく、めを　出《だ》せ　お星《ほし》さまの　たね
大《おお》きくなったら　たくさん　たくさん
お星《ほし》さまの　花《はな》を　さかせてね
花《はな》が　ちるときは　流《なが》れ星《ぼし》に　なって
みんなの　ねがいごとを　かなえてね

そんなうたをうたいながら、三人《にん》は、じょうろで水《みず》をかけていました。

「ググッ！　これでよし。」

「ねがいごとが、ねがいごとを呼《よ》ぶッス。」

「あたしたちって、最高《さいこう》に頭《あたま》がいいッピ！」

顔《かお》を見《み》あわせて、にっこりわらったときでした。

たった今《いま》、うめたばかりのお星《ほし》さまが、
土《つち》の下《した》から、むくっと顔《かお》をのぞかせたのです。


「ウガー！

お星《ほし》さまが出《で》てきた。」

「もう、めを出《だ》したッス。」

「あたしたちのねがいごとが、かなったッピ！」

ところが、お星《ほし》さまは、そのまま、うえきばちから飛《と》びだして、ふわふわふわふわとうかびはじめたではありませんか。

そこへ飛《と》びこんできたのは、ホヤホヤです。

「グワー！　怪鳥《かいちょう》ホヤホヤだ！」

「にげるッス！」

「かくれるッピ！」

グーちゃん、スーちゃん、ピーちゃんは、ピューピューピューピューッと、飛《と》んでにげて、どこかにかくれてしまいました。

それもそのはず。

こわいものなしで、元気《げんき》いっぱいのちびっこおばけたちの、たった一つのにがては、鳥《とり》。きっと、おばけになる前《まえ》の世界《せかい》で、思《おも》いっきり鳥《とり》につつかれたことでもあるのでしょう。

だから、ホヤホヤがぞくぞく村《むら》にやってきてからというもの、ひそかに、こわごわびくびくしていたのです。

三つのダイアモンドは、
ピカピカまたたきながら、
ホヤホヤの首《くび》のまわりを、
まわりはじめました。
「パ～パ～！
ぼくのネックレスだパー。」
ホヤホヤのネックレスも、
いっしょにピカピカ、
またたいています。

すると、カーテンのかげから、
おそるおそる出《で》てきたグーちゃんが、

「グエー！　これは、ホヤホヤのネックレスだったの？」

スーちゃんも、たんすの中《なか》から出《で》てきて言《い》いました。

「流《なが》れ星《ぼし》かと思《おも》ったッス。」

「ピー！　ねがいごとが、かなったんじゃなかったのね。」

ピーちゃんも、じょうろの中《なか》から出《で》てきて言《い》いました。

「パー。がっかりさせてごめんね。でも、ぼく、
このネックレスしてないと、病気《びょうき》になっちゃうホヤ。」
「でも……グ、グ。」
と、グーちゃん。
「元気《げんき》になっても、
あたしたちのこと、
つついたりしないッス？」
と、スーちゃん。
「しないしない、
ぜったいしないホヤ～！」
「なら、かえしてあげるッピ。」

「よかったパー！
おれいに、ぼくの尾羽《おばね》、
一本《ぽん》ずつあげるホヤ。」
ホヤホヤはそう言《い》って、
ちびっこおばけたちに、
尾羽《おばね》を一本《ぽん》ずつ、ひきぬいて、
プレゼントしてくれました。
「グワー！　うれしい。」
「なあんだ。ホヤホヤちゃんて、
いい鳥《とり》さんだったッスね。」
「こわがって、そんしたッピ！」

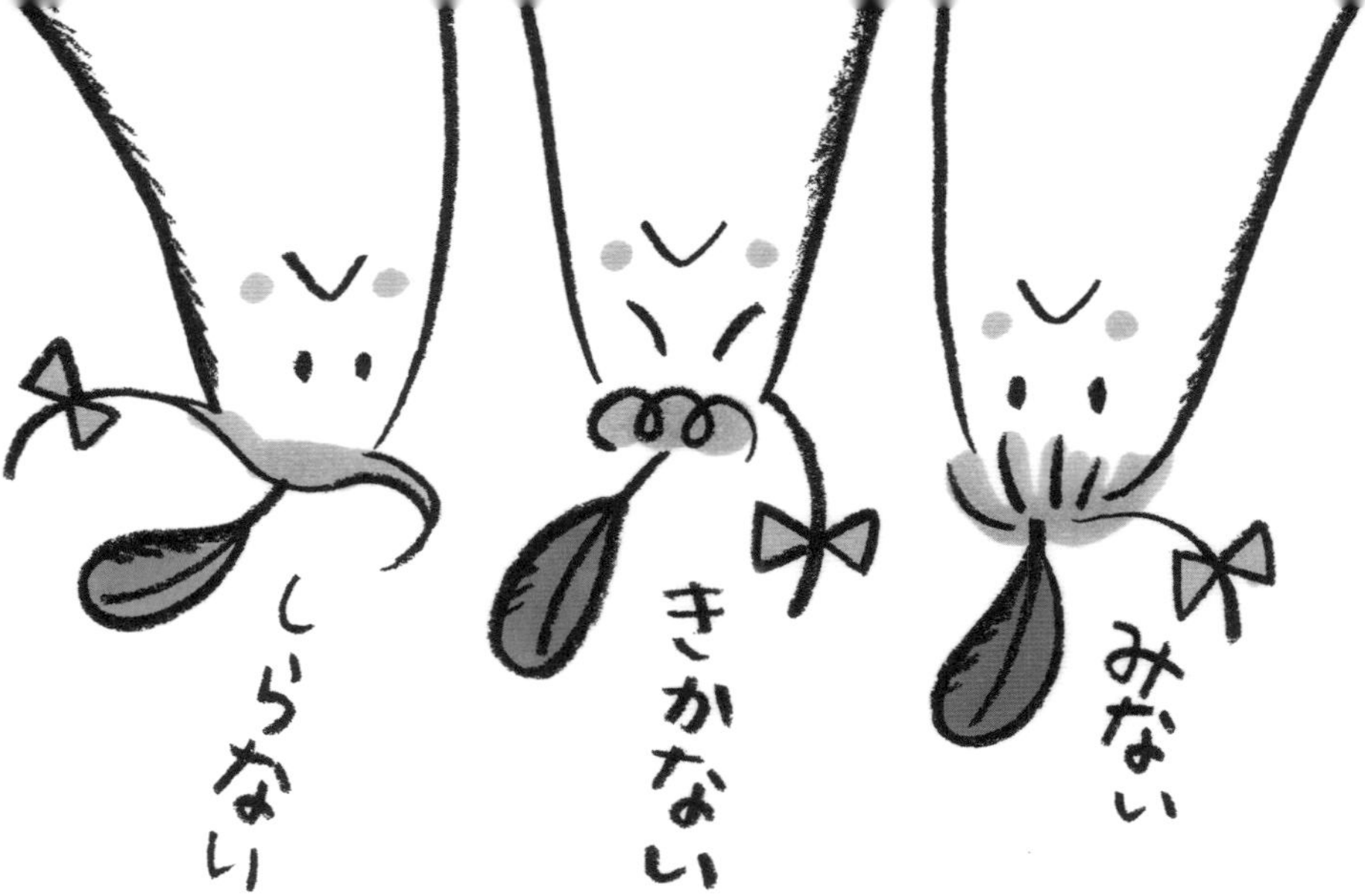

ちびっこおばけたちは、
よろこんで、ホヤホヤの羽根《はね》を
かみかざりにしました。
「でも、フンジバットの
秘宝《ひほう》のダイア、
あと一こたりないんだけど、
どっかで見《み》なかったパー？」
ちびっこたちは、
そろって、首《くび》をふりました。
「パー！　それじゃ、魔女《まじょ》のオバタンの
うらないで、さがしてもらうパー。」

のこるダイアは、
あと一こ。

ホヤホヤが、ぐずぐず谷《だに》まで飛《と》んでいくと、オバタンの家《いえ》のうらにわからは、にぎやかなわらい声《ごえ》が聞《き》こえてきました。

「たんじょう日《び》、おめでとう、アカトラ。

さあさあ、あたしの手料理《てりょうり》。

ひそひそ川《がわ》にしかいないナイショ魚《ざかな》のこそこそムニエルだよ。

えんりょしないで、食《た》べた、食《た》べた。」

魔女《まじょ》のオバタンは、ごきげんです。

でも、ねこのアカトラも、こうもりのバッサリも、

とかげのペロリも、ヒキガエルのイボイボも、

ひやあせタラーリ。なまつば、ゴクリ。

「見《み》た目《め》は、おいしそうなんだけど、ニャー。」

「パーパー！」

ホヤホヤがいきなり、バサバサーっと
おりたったのは、そのときでした。

とたんに、アカトラの前《まえ》の魚《さかな》が、
ピチピチ、飛《と》びはねて……。
「ひゃっ！」
使《つか》い魔《ま》たちがびっくりしていると、ホヤホヤは、
その魚《さかな》をツンツン、つつきはじめました。
すると、魚《さかな》の口《くち》から、コロンと
ころがり出《で》たのは……、
「パ〜！　やっぱり、ぼくのダイアモンドだ！」
「おおっ。じゃあ、ダイアはひそひそ川《がわ》に落《お》ちてたんだ。
やっぱり、魚料理《さかなりょうり》にしてよかったじゃないか。」
オバタンは、にっこにこです。

「さ、アカトラのたんじょう会《かい》の
つづきだ。ホヤホヤもいっしょに
どうかね。」
「え？　うれしいパー！　アカトラさん、
おたんじょう日《び》、おめでとう！」
ホヤホヤはよろこんで、たんじょう会《かい》に
参加《さんか》しました。
「さあさあ、あたしのごじまんの手料理《てりょうり》、
ナイショ魚《ざかな》のこそこそムニエルだよ。
食《た》べた、食《た》べた。」
「ホヤ、おいしそう！　いっただきまーす！」

ホヤホヤが、魚料理《さかなりょうり》を食《た》べるのを、ほかの使《つか》い魔《ま》たちは、息《いき》をひそめて見《み》つめていました。

ところが、
「パ〜！　おいし〜い！」
なんと、ホヤホヤは、
ぺろりとたいらげてしまった
ではありませんか。
　それを聞《き》いて、アカトラも
バッサリもペロリもイボイボも、
ムニエルにかぶりつきました。
　そして、声《こえ》をそろえて、
「おいし〜い！」
「……めずらしいことも、あるもんだブオイ。」

と、ヒキガエルのイボイボがつぶやいたのですが、さいわい、
オバタンには聞《き》こえなかったようでした。
「ぼく、なんにもプレゼントがないから、
せめて、羽根《はね》を一本《ぽん》、あげるホヤ。」
ホヤホヤは、尾羽《おばね》を
一本《ぽん》、ひっこぬくと、
アカトラにあげました。
「ひゃあ、うれしいニャ。
ありがとう。」

さて、ホヤホヤは元気《げんき》で、
ドッキリ広場《ひろば》にまいもどってきました。
「パー！　ただいま！」
「お帰《かえ》り、ホヤホヤ。ずいぶんおそかったね。」
「んもう！　なにかあったのかと心配《しんぱい》してたのよ。」
サムガリーさんとおくさんが、ブティックから
出《で》てきて言《い》いました。
「パー。ちょっといろいろあったの。でももうだいじょうぶ。
あ、そうだホヤ。ミイラのラムさんのところから、ペットの
ほうたいの追加注文《ついかちゅうもん》を受《う》けてたんだパー。」

ホヤホヤは、ペット用《よう》のほうたいをくわえると、
大《おお》いそぎで、ラムさんのお店《みせ》に飛《と》んでいきました。

ぞくぞく村《むら》だより⑭号《ごう》

ホヤホヤ監修《かんしゅう》
怪鳥《かいちょう》特集《とくしゅう》

◆発行所《はっこうじょ》◆
ぞくぞく村《むら》広報室《こうほうしつ》

怪鳥《かいちょう》トリドリのヒ・ミ・ツ

ホヤホヤは、トリドリという怪鳥《かいちょう》の子《こ》ども。おとなになったときは、どうなるの……？

好《す》きな食《た》べ物《もの》は……？　今《いま》のところ、ホヤホヤはみみずやあおむしを食《た》べているけど、大《おお》きくなったら、なにを食《た》べるの？　考《かんが》えるのが、こわい！

大《おお》きな体《からだ》は、ひこうきみたい。飛《と》んでくると、日《ひ》かげになって、あたりはまっくら！

頭《あたま》と尾《お》に、色《いろ》とりどりの羽根《はね》。七色《いろ》のにじのように、きれい！

鳴《な》き声《ごえ》は「ギャーオ！」ひと声《こえ》鳴《な》くと、森《もり》の葉《は》っぱがパラパラ落《お》ちる！

※でも、安心《あんしん》して！　こんなに大《おお》きくなるのは、千年《せんねん》ぐらいかかります。

さがして！

ちぎれ雲《ぐも》になったオープンカーを修理《しゅうり》したのに、どうも、ちょうしがよくないと思《おも》ったら、まだ、部品《ぶひん》がたりないみたい！　どこかで見《み》つけたら、ひろって、とどけてほしいでやんす！
（くもすけ）

フャーニャニャニャッニャニ、フニャンコニャニャニ、フニャ～！（ミイラねこ・ラムダ）

おたよりください ▼あてさき▼〒一〇一—〇〇六五 東京都千代田区西神田三—二—一 あかね書房「ぞくぞく村」係

★こうこく★せんでん★こうこく★せんでん★

ブティック・びっくり箱《ばこ》

…あなたのほしい洋服《ようふく》が…
…かならず見《み》つかります…

どんなに大《おお》きなおしりも入《はい》るジャンボ・パンツ！
↓

大きなおしりでゆるかったね！

くものすであんだぼうし・マフラー・手《て》ぶくろの三点《てん》セット！
↓

虫がひっかかってくるのが、ちょっと…

すずめのなみだのピアスもあるよ！
↓

¥100,000
高い!!
ねだんは
「すずめのなみだ」
じゃないのね…

しばらく
おやすみします
ちくちく歯科医院《しかいいん》

ちくちく先生は、魔女のオバタンの作《つく》った魚料理《さかなりょうり》があまったので、ごちそうになったところ、骨《ほね》がのどにささって、どうしてもとれないんですって！

ぞくぞく美術館《びじゅつかん》

にがおえ展《てん》 かいさい中《ちゅう》!!　作品《さくひん》も ぼしゅう中《ちゅう》!!

おさんぽ ピッチャン
静岡県・実里さん

がんばれ オバタン
岐阜県・美穂子さん

質問《しつもん》コーナー

Q．ぞくぞく村のお金って、どんな形《かたち》をしているの？

A．人間《にんげん》が使《つか》うお金《かね》ににているけれど、よく見《み》ると、単位《たんい》は円《えん》じゃなくて「ぞく」。十ぞく玉《だま》は、べろべろの実《み》の種《たね》でできていて、うっかりなめると、にが〜い！

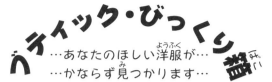

作者　末吉暁子（すえよし あきこ）
神奈川県生まれ。児童図書の編集者を経て、創作活動に入る。『星に帰った少女』(偕成社)で日本児童文学者協会新人賞、日本児童文芸家協会新人賞受賞。『ママの黄色い子象』(講談社)で野間児童文芸賞、『雨ふり花さいた』(偕成社)で小学館児童出版文化賞、『赤い髪のミウ』(講談社)で産経児童出版文化賞フジテレビ賞受賞。長編ファンタジーに『波のそこにも』(偕成社)が、シリーズ作品に「きょうりゅうほねほねくん」「くいしんぼうチップ」(共にあかね書房)など多数がある。垂石さんとの絵本に『とうさんねこのたんじょうび』(BL出版)がある。2016年没。

画家　垂石眞子（たるいし まこ）
神奈川県生まれ。多摩美術大学卒業。絵本に『ライオンとぼく』(偕成社)、『おかあさんのおべんとう』(童心社)、『もりのふゆじたく』『きのみのケーキ』『あたたかいおくりもの』『あいうえおおきなだいふくだ』『あついあつい』(以上福音館書店)、『メガネをかけたら』(小学館)、『わすれたって、いいんだよ』(光村教育図書)、『けんぼうのえほん あなたこそたからもの』(大月書店)などがある。挿絵の作品に『かわいいこねこをもらってください』(ポプラ社)など多数。日本児童出版美術家連盟会員。
垂石眞子ホームページ
http://www.taruishi-mako.com/

ぞくぞく村のおばけシリーズ⑭　ぞくぞく村の怪鳥ホヤホヤ

発　行＊2003年12月初版発行　2024年1月第21刷　　　NDC913　79P　22cm
作　者＊末吉暁子　画　家＊垂石眞子
発行者＊岡本光晴
発行所＊あかね書房　〒101-0065　東京都千代田区西神田3-2-1／TEL.03-3263-0641(代)
印刷所＊錦明印刷(株)　製本所＊(株)難波製本

©A. Sueyoshi, M. Taruishi, 2003／Printed in Japan　　＜検印廃止＞　落丁本・乱丁本はおとりかえします。
　　　　　　　　　　　　　　　　　　　　　　　　　　　　　　定価はカバーに表示してあります。

ISBN978-4-251-03654-4

ぞく村
雨ぼうずの家
びしょびしょ丘
おしゃれおばけの家
オバタンの家
もじゃもじゃ原っぱ
ミイラのラムさん
ブゾろの木
ゴブリンの家
とんとん橋
おばけかぼちゃ畑
吸血鬼の家
ぱかぱか森